세능
한국어

어휘·표현과 문법

2B

문화체육관광부
국립국어원

차례

1부

Vocabulary

어휘와 표현

01 어휘와 표현	VOCABULARY	이번 주 금요일에 동아리 모임 할래요?
한국어	ENGLISH	예문
결정하다	decide	장소를 결정했어요?
인기 있다	popular	인기 있는 음악을 찾아볼게요.
찾아보다	look up, search	인기 있는 음악을 찾아볼게요.
취향	preference	친구들의 취향을 물어보면 좋을 것 같아요.
잠깐	for a while	오래 걸으니까 다리가 아픈데 여기 잠깐 앉을래요?
모으다	gather	친구들 모아서 그동안 연습한 춤 공연도 하고요.
연습하다	practice	그동안 연습한 춤 공연도 하고요.
시간을 보내다	spend time	공연도 보고 맛있는 음식을 먹으면서 같이 즐거운 시간을 보내요!
답장	reply	답장 주세요.

02	어휘와 표현	VOCABULARY	세종학당에서부터 걸어서 10분쯤 걸려요
한국어		ENGLISH	예문
육교		overpass	횡단보도와 육교를 볼 수 있어요.
횡단보도		crosswalk	횡단보도를 건너면 영화관이 나와요.
지하도		underground tunnel	세종학당 앞 지하도를 건너면 공원이 있는데 그 앞에 있어요.
신호등		traffic light	신호등을 볼 수 있어요.
사거리		crossroads	사거리를 볼 수 있어요.
앞으로 쭉 가다		go straight ahead	세종학당 앞에서 쭉 가면 공원이 있는데 그 앞에 있어요.
우회전하다		turn right	그 영화관에서 우회전하면 하나 카페가 있어요.
좌회전하다		turn left	세종학당에서 좌회전하면 공원이 있는데 그 앞에 있어요.
걸어오다		walk	집에서부터 걸어왔어요.
그냥		just	화장실에서부터 시작해서 그냥 다 청소했어요.
멀리		far	차를 타고 멀리 가 본 적 있어요?
나오다		appear	세종학당 앞에서 횡단보도를 건너면 영화관이 나와요.
정문		main gate	정문에서부터 멀어요?
한글날		Hangeullal; Hangeul Day	한글날 행사는 언제 어디에서 해요?
행사		event	여러분이 모임이나 행사를 하면 어디에서 하고 싶어요?
안내		notice	우리 세종학당에서는 10월 9일 2시에 K호텔에서 한글날 행사를 할 예정입니다.
예정		plan	이 행사에서는 무엇을 할 예정이에요?

세종 대왕	King Sejong	한글을 만든 세종 대왕의 영화도 보고 재미있는 한글 캘리그래피도 배울 것입니다.
캘리그래피	calligraphy	재미있는 한글 캘리그래피도 배울 것입니다.
멋지다	wonderful	우리 세종학당의 춤 동아리 학생들이 멋진 케이팝(K-POP) 공연도 할 예정입니다.
따로	separately	따로 올 학생들은 오른쪽의 지도를 보고 찾아오세요.
참석하다	attend	한글날 행사에 참석할 학생들은 10월 1일까지 이메일을 보내세요.
궁금하다	curious	혹시 궁금한 것이 있으면 이 이메일로 질문하세요.

03	어휘와 표현	VOCABULARY	할머니께서 직접 만드신 목걸이예요
한국어	ENGLISH		예문
포장하다	wrap		선물을 포장해서 주면 어때요?
포장을 풀다	unwrap		포장을 풀어 보세요.
꺼내다	take out		선물을 꺼내 보세요.
향수	perfume		저는 향수를 받고 싶어요.
노트북	laptop		노트북을 사용해도 돼요?
목걸이	necklace		오늘 목걸이가 예뻐요.
취직하다	get a job		이번에 취직했으니까 넥타이는 어때요?
수학	mathematics		어머니께서 수학을 가르치세요.
할아버지	grandfather		할아버지께서 책을 읽으세요.
할머니	grandmother		할머니께서 음악을 들으세요.
분	person (honorific)		수지 씨의 아버지는 어떤 분이세요?
새로	newly		새로 샀어요?
소중하다	precious		저에게 정말 소중한 목걸이예요.
생각나다	be reminded of		목걸이를 볼 때마다 할머니가 생각날 것 같아요.
기억에 남다	memorable		여러분은 기억에 남는 소중한 선물이 있습니까?

한국어	ENGLISH	예문
기쁘다	happy	정말 기뻤어요.
최고	the best	정말 기분이 최고였어요.
신나다	become elated, excited	유진 씨, 신난 것 같아요.
기분이 나쁘다	feel bad, be in a bad mood	유진 씨, 기분이 나쁜 것 같아요.
짜증이 나다	become irritated	정말 짜증이 났어요.
걱정	worry	걱정이 많은 것 같아요.
지루하다	bored	소설이 재미없어서 지루해요.
합격하다	pass	시험에 합격했어요.
곳	place	새로운 곳을 여행해요.
시끄럽다	noisy	밖이 너무 시끄러워요.
잠이 들다	fall asleep	책을 읽다가 잠이 들었어요.
뉴스	news	뉴스를 보다가 재미없어서 드라마를 봤어요.
사전	dictionary	숙제를 하다가 모르는 단어가 있어서 사전을 찾았어요.
그만두다	quit	수영을 배우다가 그만두었어요.
실패하다	fail	케이크를 만들다가 실패했어요.
들르다	drop by	집에 가다가 편의점에 들렀어요.
지하철역	subway station	지하철역이 어디예요?
꽃집	flower shop	꽃집이 몇 층에 있어요?
짐	baggage	짐이 많아서 힘들지요?

들다	lift, carry	제가 좀 들어 줄까요?
내용	content, story	드라마 내용 좀 이야기해 주세요.
줍다	pick up	책을 주워 줄 거예요.
알리다	tell	지하철역 사무실을 알려 줄 거예요.
중학교	middle school	오늘 세종학당에 오다가 중학교 때 친구를 만났어요.
친하다	close	친한 친구였어요?
옛날	past	옛날에 그 친구 집에서 자주 놀았어요.
이기다	win	농구에서 이기고 있다가 졌어요.
지다	lose	농구에서 이기고 있다가 졌어요.
사귀다	make a friend	민호는 제가 한국을 여행할 때 사귄 친구입니다.

한국어	ENGLISH	예문
자리	seat	자리를 바꾸지 마세요.
바꾸다	change	자리를 바꾸지 마세요.
앞자리	front seat	앞자리를 발로 차지 마세요.
차다	kick	앞자리를 발로 차지 마세요.
노래를 따라서 부르다	sing along	콘서트에 가서 가수의 노래를 따라서 불렀어요.
떠들다	chat, make a noise	친구와 떠들지 마세요.
박수를 치다	clap	박수를 치지 마세요.
중간	middle	공연 중간에는 나가지 마세요.
공연장	performance venue	공연장에서 사진을 찍었어요.
빈자리	empty seat	공연장에 빈자리가 없어요.
한국말	Korean language	한국말을 정말 잘하네요.
잘생기다	good-looking	친구가 정말 잘생겼네요.
문제	question	시험 문제가 생각보다 어렵네요.
아이	child	아이가 강아지를 정말 좋아하네요.
쓰레기	trash	쓰레기를 버리지 마세요.
주차하다	park	여기에 주차하지 마세요.
담배	cigarette	여기에서 담배를 피우지 마세요.
피우다	smoke	여기에서 담배를 피우지 마세요.
만지다	touch	그릇을 만지지 마세요.
안내 자료	information material	여기 안내 자료 받으세요.
조심하다	careful	저는 춤 공연을 처음 보는데 뭘 조심해야 돼요?

미리	in advance	시작 전에 미리 들어가야 돼요.
극장	theater	극장이 아주 멋있네요!
안내문	introduction	여기 극장 안내문 받으세요.
연극	theater play	저는 연극을 처음 보는데 뭘 조심해야 돼요?
관람	viewing	공연 관람 예절을 알아볼까요?
예절	etiquette	공연 관람 예절을 지키지 않으면 어떤 문제가 있을까요?
전시	exhibition	전시 일정 안내가 있어요.
일정	program	문화 센터 홈페이지에 전시 일정 안내가 있어요.
문화 센터	culture center	세종 문화 센터 공연 관람 예절을 알아볼까요?
홈페이지	website	홈페이지에 어떤 안내가 있어요?

한국어	ENGLISH	예문
규칙	rule	공공장소에는 모두 지켜야 하는 규칙이 있어요.
줄을 서다	stand in a line	줄을 서서 기다리세요.
천천히	slowly	버스를 천천히 타야 돼요.
안전선	safety line	안전선을 넘으면 안 돼요.
넘다	cross, go beyond	안전선을 넘으면 안 돼요.
소리	sound	큰 소리로 노래를 들으면 안 돼요.
밀다	push	다른 사람을 밀지 마세요.
뛰어다니다	run about	여기저기 뛰어다니지 마세요.
통화하다	talk on the phone	시끄럽게 통화하지 마세요.
놀이 기구	ride, amusement rides	이 놀이 기구에 7살 아이가 타도 돼요?
이상	over	5살 이상이면 괜찮습니다.
이따	later	이따 나갈 때 우산이 없어도 돼요?
조용히	quietly	그런데 조용히 사용해야 돼요.
사용하다	use	도서관에서 노트북을 사용할 수 있어요?
뛰다	run, jump	음식을 먹으면 안 되고 뛰면 안 돼요.
편안하다	comfortable	깨끗하고 편안한 빌딩을 함께 만들어요!
빌딩	building	우리 빌딩은 여러 사무실과 가게가 같이 사용합니다.
관리실	management office	안녕하세요? 관리실입니다.
계단	stairs	빌딩 계단과 엘리베이터, 화장실을 깨끗이 사용하세요.
깨끗이	clean	교실을 깨끗이 사용하세요.
입구	entrance	입구 근처에서 담배를 피우면 안 됩니다.
복습	review	복습을 꼭 하세요.

한국어	ENGLISH	예문
성격	personality	제 친구는 성격이 좋아요.
급하다	rash	성격이 급한 것 같아요.
(성격이) 밝다	bright	제 친구는 성격이 밝아요.
착하다	kind	제 친구는 정말 착해요.
부지런하다	diligent	시간이 오래 걸리는 일도 끝까지 하는 부지런한 사람입니다.
게으르다	lazy	다른 사람이 볼 때 조금 게으를 수 있지만 사실 열심히 일하는 사람입니다.
활발하다	lively	활발한 성격이고 재미있는 활동을 많이 합니다.
빨리빨리	quickly	일을 빨리빨리 해요.
여러 가지	various	밝고 여러 가지 일을 많이 해요.
화를 내다	get angry	다른 사람에게 화를 잘 안 내요.
어리다	young	저는 어머니께 어릴 때 이야기를 들었어요.
택배	parcel	가장 최근에 누구한테서 택배를 받았어요?
상자	box	상자를 여니까 안에 선물이 있었어요.
동네	village	오랜만에 고향에 돌아가니까 동네가 많이 바뀌었어요.
바뀌다	change	어렸을 때와 지금 무엇이 바뀌었어요?
화나다	angry	아까 유진 씨를 보니까 화난 것 같았어요.
세일 기간	sale period	백화점에 가니까 세일 기간이었어요.
냄새	smell	식당에 들어가니까 맛있는 냄새가 났어요.
이미	already	마리 씨한테서 듣고 이미 만났어요.

옆집	next door house	옆집에 누가 이사 왔어요.
서로	from each other	두 그림은 서로 다른 것이 있습니다.
아이디어	idea	다른 사람들이 생각하지 못하는 아이디어가 많습니다.
새	bird	저는 새를 제일 먼저 찾았어요.
사실	actually	다른 사람이 볼 때 조금 게으를 수 있지만 사실 열심히 일하는 사람입니다.
갑자기	suddenly	갑자기 약속을 바꾸면 싫어합니다.
해	sun	저는 해를 제일 먼저 찾았어요.

한국어	ENGLISH	예문
마르다	thin	제 친구는 어렸을 때 말랐어요.
날씬하다	slender	안나 씨는 어렸을 때 날씬했어요.
통통하다	chubby	유진 씨는 귀엽고 통통했어요.
키	height	저는 키가 크고 날씬했어요.
보통	average	저는 키가 보통이었어요.
초콜릿	chocolate	어렸을 때는 초콜릿을 좋아했는데 지금은 안 좋아해요.
비타민	vitamin	비타민이 하나밖에 없어요.
남다	be left	약속 시간이 얼마나 남았어요?
관심	interest	저는 요즘 케이팝(K-POP)밖에 관심이 없어요.
그때	that time, then	그때는 오빠밖에 몰랐어요.
모습	appearance	수지 씨는 어렸을 때 어떤 모습이었어요?
하루 종일	all day	수업이 끝나면 하루 종일 축구장에 있었습니다.
축구장	soccer field	수업이 끝나면 하루 종일 축구장에 있었습니다.
축구 선수	soccer player	우리는 커서 축구 선수가 되고 싶었습니다.
화가	painter	형은 화가가 되었습니다.

08

한국어	ENGLISH	예문
생각이 깊다	thoughtful	저는 생각이 중요하기 때문에 생각이 깊은 사람을 만나고 싶어요.
말이 잘 통하다	communicate well	말이 잘 통하는 사람이 되어서 친구와 이야기를 많이 할 거예요.
마음이 따뜻하다	warm-hearted, big hearted	저는 친구들에게 마음이 따뜻하고 편안한 사람이 되고 싶어요.
마음이 넓다	generous	저는 마음이 넓은 사람을 만나고 싶어요.
마음이 잘 맞다	like-minded	수지 씨와 마음이 잘 맞는 친구가 되고 싶습니다.
나오다	be released, come out	지금은 이 핸드폰이 나오지 않기 때문에 고칠 수 없습니다.
고장 나다	be out of order, break down	핸드폰이 고장 났어요.
저희	our	내일 저희 식당이 문을 닫기 때문에 예약이 안 됩니다.
기숙사	dormitory	기숙사는 많은 사람이 같이 살기 때문에 규칙이 많아요.
이후	after	지금은 점심시간이기 때문에 2시 이후에 가셔야 합니다.
알람 시계	alarm clock	저는 잠이 많기 때문에 알람 시계가 많이 필요해요.
하늘	sky	하늘이 아주 아름다운데요.
발음	pronunciation	안나 씨, 오늘 한국어 발음이 좋은데요.
싸우다	quarrel, fight	그 사람과 싸우지 않고 잘 지내고 싶어요.
유학생	international student, student studying abroad	얼마 전에 유학생 모임에서 수지 씨를 만났습니다.

말을 걸다	start a conversation	혼자 있는 저를 보고 먼저 말을 걸어 주었습니다.
이해하다	understand	말을 많이 하지 않는 저를 이해해 주고 기다려 줬습니다.

한국어	ENGLISH	예문
전통 놀이	traditional game	전통 놀이를 체험하는 것을 좋아해요.
방송국	broadcasting station	방송국을 체험하는 것을 좋아해요.
동전	coin	동전을 모으는 것을 좋아해요.
체험하다	experience	전통 놀이를 체험해요.
방문하다	visit	다른 나라를 방문해요.
찾아가다	visit	맛집을 찾아가요.
산악자전거	mountain bike	산악자전거를 타 보세요.
연기	acting	연기를 배워 보세요.
새벽	dawn	새벽 운동을 시작해 보세요.
가져가다	take out	집에 가져가게 포장해 주세요.
답답하다	stuffy	교실이 좀 덥고 답답한 것 같아요.
맞추다	set	아침에 늦게 일어나지 않게 알람 시계를 맞춰요.
건강	stay healthy	건강을 지킬 수 있게 운동을 해요.
잊어버리다	forget	약속을 잊어버리지 않게 메모하세요.
위험하다	dangerous	조금 위험한 편이에요.
돈이 들다	cost	돈이 많이 드는 편이에요.
할인을 받다	discount	할인을 받을 수 있게 잘 알아보세요.
올해	this year	올해 안에 꼭 하고 싶은 일이 있어요?
다이어트	diet	3위는 다이어트에 성공하기예요.
성공하다	succeed	다이어트에 성공하기에 관심이 많아요.
노력	effort	노력이 가장 필요해요.

위(1위, 2위)	wi; a word used to rank or order things	1위는 취미 바꾸기예요.

11 어휘와 표현	VOCABULARY		처음에는 모르는 게 많아서 답답했어

한국어	ENGLISH	예문
부족하다	insufficient	너에게는 더 예쁜 말을 쓰고 싶은데 아직 한국어가 부족해.
부끄럽다	ashamed	학교에 오다가 넘어져서 많이 부끄러웠어.
실수하다	make a mistake	한국어를 처음 배울 때 실수도 많이 했어.
넘어지다	fall down	학교에 오다가 넘어졌어요.
변하다	change	서울이 많이 변했어요.
알아듣다	understand	이제는 한국어를 잘 알아들어요.
잘하다	do well	5년 동안 수영을 해서 지금은 수영을 잘해요.
익숙해지다	become familiar	지금은 회사 생활에 많이 익숙해졌어요.
쌍둥이	twin	저는 동생과 쌍둥이예요.
생일날	birthday	우리 집에서는 생일날 가족이 모여 저녁을 먹어요.
좋아지다	improve	지금은 많이 좋아졌어.
학기	semester	이번 학기에 세종학당에서 만나서 너무 좋았어.
네	you	네가 내 생일을 기억해 줘서 너무 고마웠어.
천사	angel	나에게는 네가 천사야.

한국어	ENGLISH	예문
유학하다	study abroad	저는 1년 후에 한국에서 유학할 거예요.
대학원	graduate school	저는 대학원에 진학할 거예요.
진학하다	enter a higher education institution	저는 대학원에 진학할 거예요.
세계 여행	world travel	저는 혼자 세계 여행을 하고 싶어요.
자유롭다	free	새처럼 자유롭게 살고 싶어요.
엄마	mom	저는 엄마처럼 의사가 되고 싶어요.
토끼	rabbit	동생은 토끼처럼 귀여워요.
문화	culture	한국 문화를 좋아해서 한국어를 배우게 되었어요.
달라지다	change	여행을 자주 하니까 달라진 것이 있어요?
세상	world	세상에서 가장 맛있는 커피를 만드는 사람이 되고 싶어.
전시회	exhibition	난 그림 전시회를 해 보고 싶어.
대	dae; a word used to indicate the decade of a person's age	질문은 '20대로 돌아가게 되면 꼭 하고 싶은 일은 무엇입니까?'입니다.
추억	memory	예쁜 사랑으로 추억을 만들어요.
저축하다	save	저에게는 저축하기가 중요해요.
미래	future	미래 준비는 습관이 중요해요.
역시	as expected	역시 남는 것은 가족밖에 없어요.
외롭다	lonely	가족처럼 편한 친구를 만들어야 외롭지 않아요.

2부

Grammar

문법

-(으)ㄹ래요?

의미 MEANING

어떤 일을 할 의사나 의향,
계획이 있는지 물어볼 때 사용한다.
주로 비격식적인 구어에서 많이
사용한다.

'-(으)ㄹ래요?' is used to ask if
the listener has an opinion,
intention, or plans to do something.
It is mainly used in informal
spoken language.

형태 FORM

동사와 결합하며 받침이 있으면
'-을래요?', 받침이 없으면
'-ㄹ래요?'를 사용한다. 'ㄹ' 받침
동사는 'ㄹ'이 탈락하고 '-ㄹ래요?'를
사용한다.

'-(으)ㄹ래요?' is combined with
a verb. '-을래요?' is used when
a verb stem ends with
a consonant, and '-ㄹ래요?' when
a verb stem ends with a vowel.
When a verb stem ends with 'ㄹ,'
the final consonant 'ㄹ' is
dropped and then '-ㄹ래요?' is
added.

예문 EXAMPLE

- 내일 카페에서 만**날래요**?
- 이 노래가 좋은데 한번 들어 **볼래요**?
- 날씨가 좋은데 공원에 **갈래요**?
- 오늘 같이 불고기를 먹**을래요**?
- 심심한데 영화 **볼래요**?
- 비가 오는데 커피 마**실래요**?
- 기분이 안 좋은데 쇼핑**할래요**?
- 날씨가 좋은데 운동**할래요**?

활용 PRACTICE

콘서트 표가 두 장 있는데 같이 갈래요?

-(으)ㄹ게요

의미 MEANING

말하는 사람이 미래에 어떤 일을 하겠다는 뜻이나 의지를 나타낼 때 사용한다. 또 약속을 할 때도 사용한다.

'-(으)ㄹ게요' is used when the speaker expresses his / her intention or will to do something in the future. It is also used to make a promise.

형태 FORM

동사와 결합하며 받침이 있으면 '-을게요', 받침이 없으면 '-ㄹ게요'를 사용한다. 'ㄹ' 받침 동사는 'ㄹ'이 탈락하고 'ㄹ게요'를 사용한다.

'-(으)ㄹ게요' is combined with a verb. '-을게요' is used when a verb stem ends with a consonant, and '-ㄹ게요' when a verb stem ends with a vowel. When a verb stem ends with 'ㄹ,' the final consonant 'ㄹ' is dropped and then '-ㄹ게요' is added.

예문 EXAMPLE

- 집에 도착하면 전화**할게요**.
- 내일 일찍 학교에 **올게요**.
- 커피는 제가 **살게요**.
- 이 케이크는 제가 먹**을게요**.
- 비빔밥은 제가 만**들게요**.
- 제가 숙소를 예약**할게요**.
- 제가 맛집을 알아**볼게요**.
- 제가 비행기표를 예매**할게요**.

활용 PRACTICE

가 : 누가 발표할래요?

나 : 제가 발표할게요!

에서부터

의미 MEANING

명사와 결합하여 어떤 행위나
상태가 시작되는 장소를 나타낸다.
조사 '에서'와 '부터'가 합쳐져 어떤
행위나 상태가 시작된 장소를
강조하고 싶을 때 주로 사용한다.

'에서부터' attaches to a noun,
indicating a place where
an action or a state begins.
'에서부터' is a combination of
postpositional particles '에서' and
'부터.' It is mainly used to
emphasize a place from which
an action or state begins.

예문 EXAMPLE

- 세종학당**에서부터** 회사까지 2시간쯤 걸려요.
- 명동**에서부터** 걸어왔는데 1시간쯤 걸렸어요.
- 화장실**에서부터** 시작해서 그냥 했어요.
- 제 고향**에서부터** 한국까지 10시간쯤 걸려요.
- 부산**에서부터** 혼자 운전을 했어요.
- 전주**에서부터** 서울까지 가 본 적이 있어요.
- 서울**에서부터** 부산까지 여행해 본 적이 있어요.
- 한국**에서부터** 브라질까지 가 본 적이 있어요.
- 은행**에서부터** 집까지 걸어왔어요.

형태 FORM

명사와 결합하며 받침 유무에
관계없이 '에서부터'를 쓴다.

'에서부터' attaches to a noun
regardless of whether the noun
ends with a consonant or not.

활용 PRACTICE

가 : 오늘 세종학당까지 걸어왔어요.

나 : 정말요? 어디에서부터 걸어왔어요?

가 : 집에서부터 걸어왔어요.

-(으)ㄹ

의미 MEANING

동사와 결합하여 미래에 일어날 상황이나 예정, 의도를 나타낼 때 사용한다.

'-(으)ㄹ' is combined with a verb, indicating a situation, a plan, or intention that will occur in the future.

형태 FORM

'-(으)ㄹ' 앞에 오는 동사를 관형사형으로 바꾸어 뒤에 오는 명사를 수식할 때 사용한다. 동사와 결합하며 받침이 있으면 '-을', 받침이 없으면 '-ㄹ'을 사용한다. 'ㄹ' 받침 동사는 'ㄹ'이 탈락한다.

'-(으)ㄹ' is used to modify the following noun by changing the verb that precedes '-(으)ㄹ' to a noun modifier form. '-을' is used when a verb stem ends with a consonant, and '-ㄹ' when a verb stem ends with a vowel. When a verb stem ends with 'ㄹ,' the final consonant 'ㄹ' is dropped.

예문 EXAMPLE

- 이건 내일 마**실** 우유예요.
- 여행지에서 입**을** 옷이에요.
- 내일 친구하고 **볼** 영화표예요.
- 내일 아침에 먹**을** 빵을 샀어요.
- 금요일 파티에서 들**을** 음악을 찾고 있어요.
- 비행기에서 읽**을** 책이에요.
- 바닷가에서 신**을** 신발이에요.
- 버스에서 마**실** 주스예요.
- 한국에서 만**날** 친구 전화번호예요.
- 오늘 동아리 모임에 **갈** 사람 있어요?

활용 PRACTICE

가 : 그게 뭐예요?

나 : 친구에게 줄 선물이에요.

-(으)시-

의미 MEANING

동사, 형용사와 결합하여
문장의 주어가 하는 행동이나
상태를 높여서 말할 때 사용한다.

'-(으)시-' attaches to a verb or
an adjective, describing an
action or a state of the subject
in a sentence in a respectful
manner.

형태 FORM

동사, 형용사와 결합하며 받침이
있으면 '-으시-', 받침이 없으면
'-시-'를 사용한다. 'ㄹ' 받침 동사나
형용사는 'ㄹ'이 탈락하고 '-시-'를
쓴다.

'-(으)시-' attaches to a verb, or
an adjective. '-으시-' is used when
a verb stem or an adjective stem
ends with a consonant, and '-시-'
when a verb stem or an adjective
stem ends with a vowel. When
a verb stem or an adjective stem
ends with 'ㄹ,' the final consonant
'ㄹ' is dropped and '-시-' is used.

예문 EXAMPLE

- 아버지께서 영화를 좋아하**세**요.
- 아버지께서 요리하**세**요.
- 어머니께서 수학을 가르치**세**요.
- 할아버지께서 책을 읽으**세**요.
- 할머니께서 음악을 들으**세**요.
- 우리 아버지는 요리를 잘하**세**요.
- 아버지는 학교에서 영어를 가르치**세**요.
- 우리 어머니는 수학을 잘하**세**요.
- 어머니는 책 읽는 것을 아주 좋아하**세**요.

활용 PRACTICE

가 : 어머니는 무슨 일을 하세요?

나 : 회사에 다니세요.

03

에게만, 에게도

'에게만'은 '에게'에 '만'을 결합한 표현으로 행동을 미치는 대상이 어떤 특정한 사람 한 명일 때 사용한다. '에게도'는 '에게'에 '도'를 결합한 표현으로 특정한 한 사람 외에 또 행동을 미치는 다른 대상이 있는 경우에 사용한다.

'에게만' is a combination of '에게' and '만.' It is used to indicate that a particular action influences only a single target. '에게도' is a combination of '에게' and '도.' It is used when there is another target other than a specific person influenced by a particular action.

명사와 결합하며 받침 유무에 관계없이 '에게만, 에게도'를 쓴다.

'에게만' or '에게도' is combined with a noun regardless of whether the noun ends with a consonant or not.

- 유진 씨가 재민 씨**에게만** 책을 줬어요.
- 유진 씨가 마리 씨**에게만** 선물을 줬어요.
- 마리 씨가 수지 씨**에게만** 향수를 줬어요.
- 수지 씨가 재민 씨**에게만** 넥타이를 줬어요.
- 수지 씨에게 이메일을 보냈어요. 재민 씨하고 유진 씨**에게도** 이메일을 보냈어요.
- 안나 씨가 수지 씨에게 선물을 줬어요. 그리고 재민 씨**에게도** 선물을 줬어요.

안나 씨가 유진 씨에게만 편지를 줬어요.

안나 씨가 주노 씨에게도 편지를 줬어요.

-다가

의미 MEANING

어떠한 행위나 상태가 중단되고 다른 행위나 상태로 바뀜을 나타낸다. 또 어떤 일을 하는 도중에 그 일을 그만두거나 다른 일을 할 때 사용한다.

'-다가' indicates that an action or state has stopped and changed to another action or state. It is also used to quit something in midstream or do other things.

예문 EXAMPLE

- 뉴스를 보**다가** 재미없어서 드라마를 봤어요.
- 커피를 마시**다가** 친구에게 전화했어요.
- 숙제를 하**다가** 모르는 단어가 있어서 사전을 찾았어요.
- 수영을 배우**다가** 그만두었어요.
- 케이크를 만들**다가** 실패했어요.
- 집에 가**다가** 선생님을 만났어요.
- 밥을 먹**다가** 전화를 받았어요.
- 영화를 보**다가** 잠이 들었어요.
- 친구와 이야기를 하**다가** 사진을 찍었어요.

형태 FORM

주로 동사와 사용한다. 동사와 결합하며 받침 유무에 관계없이 '-다가'를 쓴다.

'-다가' is mainly used with a verb. '-다가' is combined with a verb regardless of whether the verb stem ends with a consonant or not.

활용 PRACTICE

가 : 안나는 언제 잠이 들었어요?

나 : 책을 읽다가 잠이 들었어요.

가 : 유진은 언제 친구를 만났어요?

나 : 세종학당에 가다가 친구를 만났어요.

-아/어 주다

의미   MEANING

도움을 주는 어떤 행위를 함을 나타내는 표현이다. 남에게 도움을 제안하거나 약속할 때, 또는 남에게 도움을 요청할 때 주로 사용한다.

'-아/어 주다' indicates an act of helping someone. It is mainly used to suggest or promise to help someone or ask somebody for help.

형태   FORM

동사와 결합하며 모음이 'ㅏ'나 'ㅗ'면 '-아 주다', 그 외 모음이면 '-어 주다'를 쓴다.
'하다'는 '-해 주다'로 쓴다.

'-아/어 주다' is combined with a verb, and '-아 주다' is used when the final vowel of the verb stem is 'ㅏ' or 'ㅗ,' otherwise '-어 주다' is used. '하다' is changed to '-해 주다.'

예문   EXAMPLE

- 제가 짐을 좀 들**어 줄**까요?
- 어제 드라마 내용 좀 이야기**해 주**세요.
- 제가 돈을 빌**려줄**까요?
- 친구가 김밥을 만들**어 줬**어요.
- 지하철역 사무실을 알**려 줄** 거예요.
- 물건을 주**워 줄** 거예요.
- 전화를 빌**려줄** 거예요.
- 책을 주**워 줄** 거예요.

활용   PRACTICE

지하철역이 어디예요? 알려 주세요.

제가 짐을 좀 들어 줄까요?

-네요

의미　MEANING

지금 알게 된 일을 서술하는 종결어미로 말하는 사람이 직접 경험하여 새롭게 알게 된 사실을 나타낸다. 흔히 감탄의 뜻으로 많이 사용한다.

'-네요' is a sentence-closing ending that describes what the speaker has just learned. It indicates something that the speaker has newly learned from experience. It is often used to express exclamation.

형태　FORM

동사, 형용사와 결합하며 받침 유무에 관계없이 '-네요'를 쓴다. 'ㄹ' 받침 동사나 형용사는 'ㄹ'이 탈락한다.
'-았/었-', '-(으)시-'가 붙을 수 있다.

'-네요' is combined with a verb or an adjective regardless of whether the verb stem or the adjective stem ends with a consonant or not. When a verb stem or an adjective stem ends with 'ㄹ,' the final consonant 'ㄹ' is dropped. '-았/었-' or '-(으)시-' may attach to '-네요.'

예문　EXAMPLE

- 공연장에 빈자리가 없**네요**.
- 사람이 많이 왔**네요**.
- 한국말을 정말 잘하**네요**.
- 이 펜이 인기가 많**네요**.
- 저 사람은 정말 잘생겼**네요**.
- 시험 문제가 생각보다 어렵**네요**.
- 아이가 강아지를 정말 좋아하**네요**.
- 마리 씨가 그림을 아주 잘 그리**네요**.
- 티셔츠가 정말 멋지**네요**.
- 회사에서 집이 머**네요**.

활용　PRACTICE

와, 사람이 많네요.

어? 비가 많이 오네요.

-지 말다

의미 MEANING

어떤 행위의 금지를 나타내는 표현이다. 다른 사람의 행위를 금지할 때 주로 사용한다.

'-지 말다' indicates a prohibition of action, and it is mainly used to prohibit others from doing something.

형태 FORM

동사와 결합하며 받침 유무에 관계없이 '-지 마세요'를 쓴다.

'-지 마세요' is combined with a verb regardless of whether the verb stem or the adjective stem ends with a consonant or not.

예문 EXAMPLE

- 핸드폰을 사용하**지 마**세요.
- 공연장에서 사진을 찍**지 마**세요.
- 여기에 주차하**지 마**세요.
- 이곳에서 자전거를 타**지 마**세요.
- 여기에서 담배를 피우**지 마**세요.
- 쓰레기를 버리**지 마**세요.
- 창문을 열**지 마**세요.
- 안으로 들어가**지 마**세요.
- 도서관에서 떠들**지 마**세요.

활용 PRACTICE

영화관에서 이야기하지 마세요.

-아도/어도 되다

의미　MEANING

어떤 행위나 상태를 허락하거나 허용함을 나타낸다. 허용이 되는지를 질문하거나 이에 대해 허용한다는 의미의 대답을 할 때 사용한다.

'-아도/어도 되다' indicates permission or approval of the action, and it is mainly used to ask if something is allowed or to answer in the way of consent.

형태　FORM

동사와 결합하며 모음이 'ㅏ'나 'ㅗ'면 '-아도 되다', 그 외 모음이면 '-어도 되다'를 쓴다. '하다'는 '-해도 되다'로 쓴다.

'-아도/어도 되다' is combined with a verb. '-아도 되다' is used when the final vowel of the verb stem is 'ㅏ' or 'ㅗ,' otherwise '-어도 되다' is used. '하다' is changed to '-해도 되다.'

예문　EXAMPLE

* 여기에서는 음료수를 마**셔도 돼요**.
* 기차 시간이 다 되었는데 저 먼저 표를 **사도 돼요**?
* 오늘 동생 생일인데 빨리 집에 **가도 돼요**?
* 이 놀이 기구에 7살 아이가 **타도 돼요**?
* 이따 나갈 때 우산이 없**어도 돼요**?
* 책을 같이 **봐도 돼요**?
* 여기에 앉**아도 돼요**?
* 입어 **봐도 돼요**?
* 병원에 **가도 돼요**?
* 강아지와 같이 산책**해도 돼요**.

활용　PRACTICE

이거 버려도 돼요?

-(으)면 안 되다

의미 MEANING

어떤 행위를 하지 못하게 하거나
어떤 상태가 되는 것을 금지함을
서술할 때 사용한다.

'-(으)면 안 되다' is used to describe
a prohibition from doing
something or being
in a particular state.

형태 FORM

동사와 결합하며 받침이 있으면
'-으면 안 되다', 받침이 없거나
'ㄹ' 받침으로 끝날 경우에는
'-면 안 되다'를 사용한다.

'-(으)면 안 되다' is combined with
a verb, and '-면 안 되다' is used
when a verb stem ends with
a vowel or 'ㄹ,' otherwise '으면 안 되다'
is used.

예문 EXAMPLE

- 자전거를 타**면 안 돼요**.
- 지하철에서 물을 마시**면 안 돼요**.
- 도서관에서 음식을 먹**으면 안 돼요**.
- 박물관에서 핸드폰으로 사진을 찍**으면 안 돼요**.
- 버스 안에서 시끄럽게 통화하**면 안 돼요**.
- 지하철역에서 안전선을 넘**으면 안 돼요**.
- 지하철에서 다른 사람을 밀**면 안 돼요**.
- 입구 근처에서 담배를 피우**면 안 돼요**.
- 한국에서는 신발을 신고 방에 들어가**면 안 돼요**.
- 한국에서는 그릇을 들고 먹**으면 안 돼요**.

활용 PRACTICE

쓰레기를 버리면 안 돼요.

큰 소리로 노래를 들으면 안 돼요.

공원에서 음식을 만들면 안 돼요.

에게서, 한테서, 께

의미 MEANING

어떤 행위가 나온 출처나 어떤 행위가 비롯되는 대상임을 나타낸다. 어떤 사람이나 동물로부터 주어진 행위가 시작됨을 나타낼 때 사용한다.

'에게서,' '한테서' or '께' indicates the source or object from which an action originated. It is used to express that a given action originated from a person or animal.

형태 FORM

명사와 결합하며 받침 유무에 관계없이 '에게서, 한테서, 께'를 쓴다.

'에게서,' '한테서' or '께' attaches to a noun regardless of whether the noun ends with a consonant or not.

예문 EXAMPLE

- 안나 씨는 마리 씨**에게서** 축하 편지를 받았어요.
- 재민 씨**에게서** 에스엔에스(SNS) 메시지를 받았어요.
- 서울에 있는 친구**한테서** 택배를 받았어요.
- 저는 한국 친구**한테** 한국 요리를 배웠어요.
- 학교 졸업식 때 한국 친구**한테서** 선물을 받았어요.
- 재민 씨는 할아버지**께** 고향 이야기를 많이 들었어요.
- 저는 선생님**께** 한국어를 배웠어요.
- 저는 아버지**께** 생일 선물을 받았어요.
- 저는 어머니**께** 할머니 이야기를 들었어요.

활용 PRACTICE

마리 씨에게서 전화를 받았어요.

할머니께 선물을 받았어요.

-(으)니까

의미 MEANING

앞의 행동을 함으로 뒤의 사실을 발견하게 될 때 사용한다.

'-(으)니까' indicates that the speaker learns something by performing the preceding action.

형태 FORM

동사와 결합하며 받침이 있으면 '-으니까', 받침이 없거나 'ㄹ' 받침으로 끝날 경우에는 '-니까'를 사용한다. 'ㄹ' 받침 동사는 'ㄹ'이 탈락한다.

'-(으)니까' is combined with a verb. '-니까' is used when a verb stem ends with a vowel or 'ㄹ,' otherwise '-으니까' is used. When a verb stem ends with 'ㄹ,' the final consonant 'ㄹ' is dropped.

예문 EXAMPLE

- 집에 가**니까** 손님이 계셨어요.
- 카페에 도착하**니까** 친구가 기다리고 있었어요.
- 일을 끝내**니까** 벌써 밤 9시였어요.
- 오랜만에 고향에 돌아가**니까** 동네가 많이 바뀌었어요.
- 아까 유진 씨를 보**니까** 화난 것 같았어요.
- 백화점에 가**니까** 세일 기간이었어요.
- 창문 밖을 보**니까** 비가 오고 있었어요.
- 아침에 일어나**니까** 강아지가 옆에서 자고 있었어요.
- 식당에 들어가**니까** 맛있는 냄새가 났어요.
- 한국 노래를 들**으니까** 어려운 단어가 많이 나왔어요.

활용 PRACTICE

상자를 여니까 안에 선물이 있었어요.

-는데/(으)ㄴ데

의미 MEANING

앞 절의 내용과 다른 상황이나 결과가 뒤 절에 이어짐을 나타낸다. 대조되는 두 가지 사실을 말할 때 사용한다.

'-는데/(으)ㄴ데' indicates that situations or results, which are different from those in the former clause follow in the latter clause. It refers to two contrasting facts.

형태 FORM

동사의 경우 받침 유무와 상관없이 '-는데'를 쓴다. 'ㄹ' 받침 동사는 'ㄹ'이 탈락한다. 형용사의 경우 받침이 있으면 '-은데', 받침이 없으면 '-ㄴ데', '있다', '없다'는 '-는데'를 쓴다. 'ㄹ' 받침 형용사는 'ㄹ'이 탈락하고 '-ㄴ데'를 쓴다.

In the case of a verb, '-는데' is used regardless of whether the verb stem ends with a consonant or not. When a verb stem ends with 'ㄹ,' the final consonant 'ㄹ' is dropped. In the case of an adjective, '-은데' is used when the adjective stem ends with a consonant, and '-ㄴ데' when the adjective stem ends with a vowel. '있다' or '없다' is combined with '-는데.' When a verb stem or an adjective stem ends with 'ㄹ,' the final consonant 'ㄹ' is dropped and then '-ㄴ데' is added.

예문 EXAMPLE

- 이 가방은 비**싼데** 저 가방은 싸요.
- 이 공원은 낮에는 사람이 많**은데** 밤에는 적어요.
- 저는 텔레비전을 보**는데** 동생은 숙제를 해요.
- 저는 매운 음식을 잘 먹**는데** 친구는 못 먹어요.
- 어렸을 때는 초콜릿을 좋아했**는데** 지금은 안 좋아해요.
- 어렸을 때는 노래방에 많이 갔**는데** 요즘은 자주 안 가요.
- 어렸을 때는 머리가 길었**는데** 지금은 머리가 짧아요.
- 어렸을 때는 키가 크고 말랐**는데** 지금은 통통해요.
- 전에는 주스를 좋아했**는데** 지금은 주스보다 커피를 더 좋아해요.

활용 PRACTICE

형은 키가 큰데 동생은 키가 작아요.

밖에

의미　MEANING

다른 선택을 할 가능성이 없거나 그것이 유일한 선택임을 나타낸다.

'밖에' indicates that there is no possibility of making another choice or that the choice you have already made is the only option.

형태　FORM

반드시 뒤에 부정을 나타내는 말과 함께 사용한다. 명사와 결합하며 받침 유무에 관계없이 '밖에'를 쓴다.

'밖에' should be used with a negative word. '밖에' attaches to a noun regardless of whether the noun ends with a consonant or not.

예문　EXAMPLE

- 비타민이 하나**밖에** 없어요.
- 약속 시간이 15분**밖에** 안 남았어요.
- 사람들이 아직 세 명**밖에** 없어요.
- 생일 선물을 한 개**밖에** 못 받았어요.
- 파란색 펜**밖에** 없어요.
- 운동화**밖에** 안 신어요.
- 불고기**밖에** 안 먹어요.
- 한국 친구가 두 명**밖에** 없어요.
- 저는 배우 김민수 씨**밖에** 몰라요.

활용　PRACTICE

가 : 하나밖에 없어요.

나 : 오늘 사러 가요.

-기 때문에

의미 MEANING

앞 절이 뒤 절의 이유나 원인이
됨을 나타낸다.

'-기 때문에' indicates that
the former clause is the reason
or cause of the latter clause.

형태 FORM

동사, 형용사와 결합하며 받침
유무에 관계없이 '-기 때문에'를
쓴다. 과거는 '-았기/었기
때문에'로 쓰지만 미래·추측의
'-겠-'과는 결합하지 않는다.

'-기 때문에' is combined with a verb
or an adjective regardless of
whether the verb stem or
the adjective stem ends with
a consonant or not. In the past
tense, '-았기/었기 때문에' is used, but
it cannot go with '-겠-' which
indicates the future or
a supposition.

예문 EXAMPLE

- 내일 저희 식당이 문을 닫**기 때문에** 예약이 안
  됩니다.
- 기숙사는 많은 사람이 같이 살**기 때문에** 규칙이
  많아요.
- 지금은 점심시간이**기 때문에** 2시 이후에 가셔야
  합니다.
- 저는 잠이 많**기 때문에** 아침에 늦게 일어나요.
- 저는 잠이 많**기 때문에** 알람 시계가 많이
  필요해요.
- 내일 친구의 생일이**기 때문에** 선물을 사야 해요.
- 저는 감기 **때문에** 집에서 약을 먹고 쉬었어요.
- 어제 비가 많이 왔**기 때문에** 오늘 날씨가
  추워요.

활용 PRACTICE

지금은 이 핸드폰이 나오지 않기 때문에 고칠
수 없습니다.

60

42   2B

-는데요/(으)ㄴ데요

의미 MEANING

어떤 사실을 말하면서 그것에 대해 감탄하며 서술함을 나타낸다.

'-는데요/(으)ㄴ데요' indicates that the speaker is saying something with admiration, surprise, or excitement.

형태 FORM

동사의 경우 받침 유무와 상관없이 '-는데요'를 쓴다. 'ㄹ' 받침 동사는 'ㄹ'이 탈락한다. 형용사의 경우 받침이 있으면 '-은데요', 받침이 없으면 '-ㄴ데요', '있다', '없다'는 '-는데요'를 쓴다. 'ㄹ' 받침 형용사는 'ㄹ'이 탈락하고 '-ㄴ데요'를 쓴다.

In the case of a verb, '-는데요' is used regardless of whether the verb stem ends with a consonant or not. In the case of an adjective, '-은데요' is used when the adjective stem ends with a consonant, '-ㄴ데요' when it ends with a vowel. '있다' or '없다' is combined with '-는데요.' When an adjective stem ends with 'ㄹ,' the final consonant 'ㄹ' is dropped and then '-ㄴ데요' is used.

예문 EXAMPLE

* 음식이 정말 맛있**는데요**!
* 이 원피스는 마리 씨에게 정말 잘 어울리**는데요**.
* 이 신발은 가격이 너무 비**싼데요**.
* 사무실이 정말 깨끗**한데요**.
* 시험 준비를 너무 빨리 시작하**는데요**.
* 오늘 날씨가 너무 더**운데요**.
* 안나 씨가 매운 음식을 잘 먹**는데요**.
* 하늘이 아주 아름다**운데요**.
* 주노 씨가 선물을 많이 받았**는데요**.
* 주노 씨 오늘 옷이 정말 멋있**는데요**!

활용 PRACTICE

이번 노래도 정말 좋은데요!

-는/(으)ㄴ 편이다

의미 MEANING

동사나 형용사와 결합하여 어떤 사실에
대체로 가깝거나 속한다고 말할 때
사용한다.

'-는/(으)ㄴ 편이다' is combined with
a verb or an adjective, indicating that it
is close or connected to a certain fact.

형태 FORM

동사의 경우 받침 유무에 관계없이
'-는 편이다'를 쓴다. 'ㄹ' 받침 동사는 'ㄹ'이
탈락한다. 형용사의 경우 받침이 있으면
'-은 편이다', 형용사의 받침이 없으면
'-ㄴ 편이다'를 쓴다. '있다, 없다'는
'-는 편이다'를 쓴다. 'ㄹ' 받침 형용사는
'ㄹ'이 탈락하고 '-ㄴ 편이다'를 쓴다.

In the case of a verb, '-는 편이다' is used
regardless of whether the verb stem
ends with a consonant or not. When
a verb stem ends with 'ㄹ,' the final
consonant 'ㄹ' is dropped. In the case of
an adjective, '-은 편이다' is used when
the adjective stem ends with a consonant,
and '-ㄴ 편이다' when it ends with a vowel.
'있다' or '없다' is combined with '-는 편이다.'
When an adjective stem ends with 'ㄹ,'
the final consonant 'ㄹ' is dropped and
then '-ㄴ 편이다' is added.

예문 EXAMPLE

- 저는 요리하는 것을 좋아하는 **편이에요**.
- 제 친구는 농구를 잘하는 **편이에요**.
- 제 방은 깨끗**한 편이에요**.
- 저는 일 때문에 다른 나라를 자주 방문하는 **편이에요**.
- 동생은 성격이 활발**한 편이에요**.
- 오늘 날씨가 맑은 **편이에요**.
- 운동을 잘하는 **편이에요**.
- 음식을 잘 만드는 **편이에요**.
- 여행을 자주 다니는 **편이에요**.
- 수학을 잘하는 **편이에요**.

활용 PRACTICE

저는 키가 작은 편이에요.

-게

의미　MEANING

동사나 형용사와 결합하여 뒤의 행위에 대한 목적이나 결과를 나타낸다. 앞의 상황을 이루기 위해 뒤에 조건이나 방법이 나올 때 사용한다.

'-게' is combined with a verb or an adjective, indicating the purpose or result of the following action. It is used when the speaker performs a particular action to achieve a goal or solve the situation mentioned in the former clause.

형태　FORM

동사, 형용사와 결합하며 받침 유무에 관계없이 '-게'를 쓴다.

'-게' is combined with a verb or an adjective. '-게' is used regardless of whether the verb stem or the adjective stem ends with a consonant or not.

예문　EXAMPLE

- 남은 피자 가져가**게** 포장해 주세요.
- 오늘 춥지 않**게** 따뜻한 옷을 입으세요.
- 아이들도 먹을 수 있**게** 만들었어요.
- 바람이 들어오**게** 창문을 좀 열까요?
- 저도 읽**게** 이 소설책을 빌려주세요.
- 아침에 늦게 일어나지 않**게** 일찍 자요.
- 피곤하지 않**게** 야채와 과일을 많이 먹어요.
- 한국어를 잘할 수 있**게** 한국어를 열심히 공부해요.
- 약속을 잊어버리지 않**게** 휴대폰에 메모했어요.
- 다른 사람이 못 듣**게** 조용히 말했어요.

활용　PRACTICE

집에 가져가게 남은 것 포장해 주세요.

-아 / 어

의미 MEANING

'-아요/어요'의 반말로 사용한다. 아랫사람이나 나이가 비슷한 사람, 비공식적인 자리, 가까운 사이 등에서 사용할 수 있다.

'-아/어' is used as an informal speech form of '-아요' or '-어요.' It can be used for younger people, people of a similar age, or close acquaintances. It can be used in informal meetings as well.

형태 FORM

동사, 형용사와 결합하며 모음이 'ㅏ'나 'ㅗ'면 '-아', 그 외 모음이면 '-어'를 쓴다. '하다'는 '-해'로 쓴다.

'-아/어' is combined with a verb or an adjective. '-아' is used when the final vowel of the verb or adjective stem is 'ㅏ' or 'ㅗ,' otherwise '-어' is used. '하다' is changed to '-해.'

예문 EXAMPLE

- 나는 마리라고 해. 만나서 반가**워**.
- 민호야, 여행은 잘 다녀왔**어**?
- 오늘 파티에 갈 사람 있**어**?
- 목걸이가 예뻐. 새로 샀**어**?
- 지은아, 여기에서 노트북을 사용해도 **돼**.
- 여기에서 음료수를 마셔도 **돼**.
- 1층에는 음료수를 가지고 들어가면 안 **돼**.
- 2층에 음료수를 마시면서 책을 보는 곳이 있**어**.
- 여기에서 노트북을 사용해도 **돼**.

활용 PRACTICE

가 : 어제 뭐 했어?

나 : 집에서 쉬었어.

에는, 에서는

의미 MEANING

조사 '에, 에서'와 조사 '는'의 결합형으로 두 가지 조사의 의미가 모두 나타난다. 특정 시간이나 장소를 주제로 이야기할 때, 특정 시간과 장소를 강조할 때 사용한다.

'에는, 에서는' is a combination of postpositional particles '에, 에서' and '는.' It carries the meaning of both particles. It emphasizes a particular time or place when people talk about times or places.

예문 EXAMPLE

- 처음**에는** 한국어가 어려웠어요.
- 주말**에는** 한국어를 배우지 않아요.
- 목요일**에는** 세종학당에 가요.
- 수요일**에는** 아르바이트를 해요.
- 금요일**에는** 영화를 봐요.
- 여기**에서는** 밥을 먹으면 안 돼요.
- 박물관 안**에서는** 사진을 찍으면 안 돼요.
- 우리 집**에서는** 생일날 가족이 모여 저녁을 먹어요.
- 도서관**에서는** 떠들면 안 돼요.

형태 FORM

명사와 결합하며 받침 유무와 관계없이 '에는', '에서는'을 쓴다.

'에는, 에서는' attaches to a noun regardless of whether the noun ends with a consonant or not.

활용 PRACTICE

밖에는 사람이 많네요.

여기에서는 사진을 찍으면 안 돼요.

처럼

의미 MEANING

앞의 명사와 같거나 비슷함을
나타낸다.

'처럼' attaches to a noun,
indicating that the noun is
identical or similar to
the preceding noun.

형태 FORM

명사와 결합하며 받침 유무와
관계없이 '처럼'을 쓴다.

'처럼' attaches to a noun
regardless of whether the noun
ends with a consonant or not.

예문 EXAMPLE

- 동생이 가수**처럼** 노래를 잘해요.
- 제 친구는 선수**처럼** 축구를 잘해요.
- 안나 씨는 한국 사람**처럼** 말해요.
- 가을이 여름**처럼** 더워요.
- 구두가 운동화**처럼** 편해요.
- 저는 엄마**처럼** 의사가 되고 싶어요.
- 동생은 인형**처럼** 귀여워요.
- 저는 선생님**처럼** 한국어를 잘하고 싶어요.
- 저는 친구**처럼** 노래를 잘하고 싶어요.

활용 PRACTICE

가 : 어떻게 살고 싶어요?

나 : 새처럼 자유롭게 살고 싶어요.

가 : 친구는 어떤 사람이에요?

나 : 제 친구는 천사처럼 착해요.

-게 되다

의미 MEANING

어떤 영향으로 상황이나 상태가 변한 것을 나타낸다.

'-게 되다' indicates that a situation or a state has changed due to a certain influence.

형태 FORM

동사와 결합하며 받침 유무와 관계없이 '-게 되다'를 쓴다.

'-게 되다' is combined with a verb regardless of whether the verb stem ends with a consonant or not.

예문 EXAMPLE

- 한국 문화를 좋아해서 한국어를 배우**게 되**었어요.
- 친구가 이사를 해서 자주 못 만나**게 되**었어요.
- 언니가 도와줘서 지갑을 찾**게 되**었어요.
- 커피를 좋아해서 카페를 열**게 되**었어요.
- 외국 친구를 많이 사귀**게 되**었어요.
- 한국 노래를 듣**게 되**었어요.
- 한국 친구를 만나**게 되**었어요.
- 한국어를 배우**게 되**었어요.
- 혼자 살**게 되**었어요.

활용 PRACTICE

1년 전 : 한국어를 몰랐어요.

1년 후 : 한국어를 잘하게 되었어요.

부록

색인 2

Index
(in English alphabetical order)

2B

※ 이 교재는 산돌폰트 외 Ryu 고운한글돋움OTF, Ryu 고운한글바탕OTF 등을 사용하여 제작되었습니다. Ryu 고운한글돋움OTF, Ryu 고운한글바탕OTF 서체는 서체 디자이너 류양희 님에게서 제공 받았습니다.

메모

메모

세종한국어 | 어휘·표현과 문법 2B

기획	국립국어원	박미영 학예연구사
	국립국어원	조 은 학예연구사
집필	책임 집필	이정희 경희대학교 국제교육원 교수
	공동 집필	이수미 성균관대학교 학부대학 대우교수
		한윤정 경희대학교 K-컬처·스토리콘텐츠연구소 연구교수
		신범숙 서울대학교 언어교육원 대우전임강사
		민유미 서울대학교 언어교육원 대우전임강사
	집필 보조	김연희 경희대학교 국어국문학과 박사수료
		홍세화 경희대학교 국어국문학과 박사과정
		정성호 경희대학교 국어국문학과 박사수료
		서유리 경희대학교 국어국문학과 박사과정
	번역 감수	변우영 오하이오주립대학교 동아시아어문학과 부교수

발행 국립국어원
주소: (07511) 서울특별시 강서구 금낭화로 154
전화: +82(0)2-2669-9775 전송: +82(0)2-2669-9727
누리집: www.korean.go.kr

초판 1쇄 발행   2022년 9월 1일
초판 2쇄 발행   2024년 12월 2일

편집·제작 공앤박 주식회사
주소: (05116) 서울특별시 광진구 광나루로56길 85, 프라임센터 3411호
전화: +82(0)2-565-1531 전송: +82(0)2-6499-1801
누리집: www.kongnpark.com / www.BooksOnKorea.com (구매)

총괄	공경용
편집	이유진, 김세훈, 이진덕, 여인영, 김령희, 성수정, 최은정, 함소연
영문 편집	Sung A. Jung, Paulina Zolta, Kassandra Lefrancois-Brossard
디자인	오진경, 서은아, 이종우, 이승희
삽화	강승희, 곽명주, 박가을, 이재영, 정원교
관리·제작	공일석, 최진호
IT 자료	손대철
마케팅	윤성호

ISBN 978-89-97134-41-0 (14710)
ISBN 978-89-97134-21-2 (세트)